劉福春・李怡 主編

民國文學珍稀文獻集成

第二輯

新詩舊集影印叢編　第54冊

【歧路卷】

歧路

上海：商務印書館 1924 年 11 月初版

小說月報社　編

【良夜卷】

良夜

上海：商務印書館 1925 年 1 月初版

小說月報社　編

【眷顧卷】

眷顧

上海：商務印書館 1925 年 4 月初版

小說月報社　編

花木蘭文化事業有限公司

國家圖書館出版品預行編目資料

歧路／良夜／眷顧／小說月報社　編 — 初版 — 新北市：花木蘭文化事業有限公司，2017〔民 106〕

72 面／78 面／120 面；19×26 公分

（民國文學珍稀文獻集成・第二輯・新詩舊集影印叢編　第 54 冊）

ISBN 978-986-485-151-5（套書精裝）

831.8　　106013764

ISBN-978-986-485-151-5

9789864851515

民國文學珍稀文獻集成・第二輯・新詩舊集影印叢編（51-85 冊）

第 54 冊

歧路
良夜
眷顧

編　者　小說月報社

主　編　劉福春、李怡

企　劃　首都師範大學中國詩歌研究中心
北京師範大學民國歷史文化與文學研究中心
（臺灣）政治大學民國歷史文化與文學研究中心

總 編 輯　杜潔祥

副總編輯　楊嘉樂

編　輯　許郁翎、王筑　美術編輯　陳逸婷

出　版　花木蘭文化事業有限公司

社　長　高小娟

聯絡地址　235 新北市中和區中安街七二號十三樓
電話：02-2923-1455／傳眞：02-2923-1452

網　址　http://www.huamulan.tw 信箱　hml 810518@gmail.com

印　刷　普羅文化出版廣告事業

初　版　2017 年 9 月

定　價　第二輯 51-85 冊（精裝）新台幣 88,000 元　

歧路

仲密等著

商務印書館（上海）一九二四年十一月初版。原書五十開。

小說月報叢刊第八種

歧路（新詩集）

上海商務印書館發行

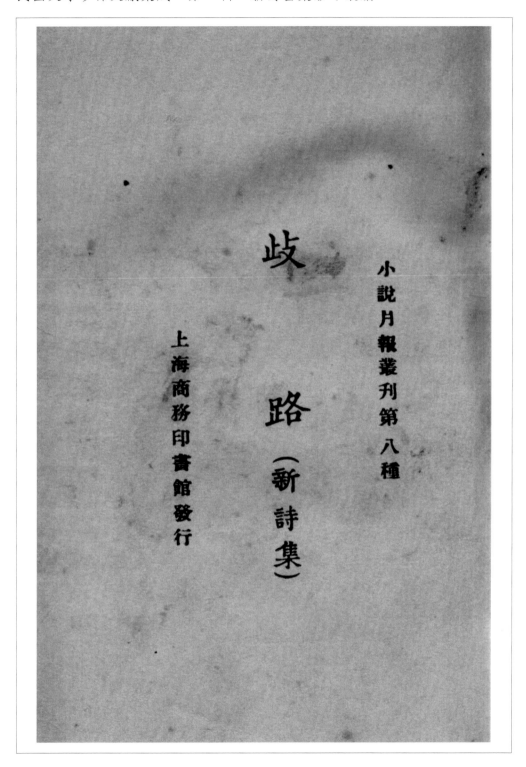

岐路

新詩集

目次

一

目次　二

目次　四

歧路

仲密

荒野上許多足跡，
指示着前人走過的道路。
有向東的，有向西的，
也有一直向南去的；
這許多道路究竟到一同的去處麽？
我的性靈使我相信是這樣的。
而我不能決定向那一條路去，
只是睁了眼望着站在歧路的中間。
　　我愛耶穌，
但我也愛摩西。

歧路

耶穌說，「有人打你右臉，連左臉也轉過來由他打，」
摩西說，「以眼還眼，以牙還牙，」
吾師乎，吾師乎！
你們的言語怎樣的確實呀！
我如果有力量，我必然跟耶穌背十字架去了。
我如果有較小的力量，我也跟摩西做士師去了。
但是懦弱的人，
你能做什麼事呢？

風箏

冷悄悄地小院落，
風動竹篁。
兩三隻啄食的小雀兒，
勅地，飛過牆去了！
只隔得一層花障，
何曾半點顫破
心底衷曲。

風箏停了，
亂擺一窗綠影，

風篁

只隔得花障一層，
小院依舊靜着，
心裏依舊猜思，
小雀兒却咋咋唧唧地，
又飛來了。

四

少女的煩悶

徐雉

（一）

少女的煩悶，
是蛇的罪惡罷。

（二）

深夜的明月，
煩惱了失眠的少年。

（三）

墮在地上的雛燕，
啾啾地叫亂我的心弦。

（四）

少女的煩悶

飄零的人呀！
你是蜉蝣！

（五）

Gipsy 呀！
你們是天才呢？瀉兒呢？

（六）

落伍的小蚌蛤，
被太陽晒死了。

（七）

朋友，你怨熱是徒然的。
祇要睡一會兒就涼了。

(八)

雨天在森林裏走，
我聽見悲都文的音樂了。

(九)

給我歡悅的，
祇有孩提時的悲哀。

(十)

富室的多情寡婦，
黃金失去了威權。

(十一)

詩人呀！你如果祇給我冷笑，

少女的煩悶

八

我也祇能對你哭了！

（十二）

沒有月亮的夜，
愈顯星的光彩了。

（十三）

厚霧，我惱你了，
你爲什麼遮去我的星兒？

（十四）

世間最平常的事，——
死！

（十五）

更夫的鑼聲，
擊碎我深夜的幻景了。

（十六）

給你麵包吃的是你以前的敵人，
乞丐，你可明白了罷！

（十七）

黃金造成的藝術之宮呀！
我要用巨炮來轟毀你！

（十八）

偉大的精靈對我這樣說：
「時代是常相同的，只有天才超越時代。」

少女的煩悶　　九

新　生

十　梁宗岱

新生

好和平的春色呵！
鋪滿郊野的枯草，
又長上鮮綠的嫩苗了。

台州雜詩

朱自清

(一)笑聲

是人們底笑笑哩。
追尋去，却跟着風走了

(二)燈光

那泱泱的黑暗中熠燿着的，
一顆黃黃的燈光呵，
我將由你的熠燿裏，
凝視她的媚的雙眼。

憂悶

鄭振鐸

美麗的青春之花爲什麼萎謝了呢？
「因爲憂悶。」
活潑潑的少年之髮爲什麼變白了呢？
「因爲憂悶。」
憂悶無端，誰也不知道他從那里來。
他好像日光下的人影子，息息不離地隨了我們走。
好像招致瘧疾的黴菌，河邊屋角，到處潛伏着。
祇等機會一到，他便快快地竄入人心中，
便使勇敢者懦弱了，
活潑的人沈滯了；

便使少年的高仰直視的頸低垂了。
總之他是一副很奇怪而殘酷的眼鏡。
無論誰，祇要把他一戴上，
視線中的一切美麗與榮華便都變成乾枯而慘淡了。
微笑的花哭了，低唱快樂之歌的水流突然呻吟而悲啼了。
一切所有的一切祇要是透過他的鏡片的，
便都悽涼了，荒蕪了，浸入悲哀的灰色水中了。
誰能戰退這個細小而頑悍而且無所不在的仇敵呢？

夜

殷鉞

（一）

隱隱約約的吠聲，
冲破黑暗裏的沈靜。
彷彿想驚醒大衆，
給宇宙間一點生氣。

（二）

幾點黯淡燈光，
照現一條平坦大路。
揭明了這重大黑幕，
那里有甚黑暗，荒涼，恐怖。

(三)

光明的明日未來，
安靜的昨日已去。
你雖是昨日的將來，
却又是明日的過去。

酬　答

十六

酬答

王統照

將孤寂藏在心裏，
強向人們作微笑的酬答。
酬答呵，
一個虛僞的謎，教我如何去打得破？

感受

梁宗岱

夜間黑朧朧的，
從黑暗的沉默裏透出來的清芬
不知道是什麼花的香氣；
然而我已感受到而知道是花的清芬了。

紅葉

高仰愈

山路上一片紅葉，
呑着聲兒伏着那里哭泣。
她本是他母親的愛子，
怎當那一陣無情的風兒，
吹在這天涯海國。
吹得下來，
吹不上去，
她只得伏在那里任人踐踏；
狗過來舐一嘴；
驢過來屎一潑；

人過來踩一腳。

遙想她的小兄弟們，
圍着她母親的顙兒還正在笑樂……
她不由得吞着聲兒哭泣。
血淚兒流遍了全身，
越添了十分的醉紅的顏色。
我從山路上走過，
看見這一片可憐的紅葉，
我拾起來插在胸前，
像朵玫瑰花一般的愛惜。

不眠

王統照

不眠也好呵，
只是虛寂的恐怖與墜落的憧憬，
　擾亂了我的心曲。
張開眼睛吧，
討厭帳影的微動。
熄了燈火吧，
無數黑暗的箭，便齊向我心頭射起。

自白

朱自清

朋友們硬將擔子放我頭上；
他們從容去了。
擔子漸漸將我壓扁；
他說，『你如今全是「我的」了！』
我用盡兩臂底力，
想將他撥開去；
但是——遲了些！
成天蹺曲在擔子下的我，
便當那兒是他的全世界；
灰色的冷光四面反映着他，

自白

二十二

一切都板起臉向他。
　但是擋子他手裏終會漏光；
我昏花的兩眼看見了：
四圍不都是鮮嫩的花開着嗎？
緋頰的桃花，粉面的荷花，
金粟的桂花，紅心的梅花，
都望着我舞蹈，狂笑；
笑裏送過一陣陣幽香，
全個兒的我給她們薰透了！
　我像一個瘋子，
週身火一般熱着：

兩隻枯瘦的手拼命地亂舞，
一雙軟弱的脚儘力地狂踏；
扯開啞了的喉嚨，
大聲地笑着，唱着；
什麼都像忘記了？
　但是——
擠子他的手又突然遮掩來了！

微痕

（一）

微微的，
淡淡的，
隱——現
起——伏：
這是已往的潛痕，
未來的泉源罷。

（二）

我也曾想過，
說過

CP　二十四

做過
可是，我的心呵，
你總沒有允許我。

(二)

父親，
我只有對你哭了罷：
你只是個不能知道我的，
人家說你是不肯原諒我呢。

二十六

鄭振鐸

無　言

無言

未見之前，
千言萬語奔馳而上心頭。
見了，
轉覺無言。
請恕我呀，朋友！
無言，
但一切在不言中了。

暮氣

郭紹虞

夕陽之神，
正在精心地撰他的文章呢！
把滿山紅霞，
鋪作滿江紅錦。
說他是垂死的留戀嗎？
但是何曾有些兒暮氣呢！

小雨後

張文昌

小雨後——
海棠葉上晚霞照着；
青蛙在天井裏跳着；
晚風飄着；
短笛吹着；
自然的活泉流動在片刻間。
快樂天！

禮物

羅青留

當我專誠地走向前途，
他們追隨遞給些嚴厲的「謾罵」——
我知道這是他們的禮物了，
伸出雙手珍惜地收受着。

「謾罵」飛上我的面頰於是血潮泛漲了；
穿進我的眼膜，於是淚珠零落了。
我想，這是最可寶貴的：
因爲血是生命的徵證；
淚是同情的泉源。

禮　物　　　　　　　　　　三十

但是——
我將如何的感謝他們呢?

森嚴的夜

梁宗岱

連綿不絕的急雨，
請你滴着低低的音調，
把你的指尖敲着我窗上的玻璃吧，
如此森嚴的夜，
教我的心絃好不顫慄喲！

通宵不住的狂風，
請你唱着柔柔的歌聲，
把你的掌心輕輕地拍着我的屋背吧。
如此森嚴的夜，

森嚴的夜
教我的魂兒怎樣安眠喲！

冷淡

朱自清

「像一張碟子」，（注）
他看着我。
從他的眼光裏，
映出一個個被輕蔑和玩弄的我。
他譏諷似地說了些話，
又遮遮掩掩佯笑着；
像利劍刺在我心裏。

我懇摯地對他，
說出那迫切的要求。

三十四

冷淡

他板板臉聽着，
慢條斯理，有氣沒力地答應；
最後說，「我不能哩。」——
又遮遮掩掩佯笑着，去了。
我神經大約着了寒，
都痙攣般抽搐着；
我只有顫巍巍哭了！

（注）『波蘭的小說家曾說一個貴族看「人，」好像是看一張碟子，』見周作人先生遊日本雜感。

殘廢者

徐雉

(一)瞎子

瞎子呀！在現實的世界裏你是假瞎子，
難道你在夢裏也看不見什麼？

(二)跛足者

跛足者呀！小心些！
世路是這樣險，
我們好好兒生着健全的脚的，
尚嘆行路難，
何况是你呢！

(三)啞子

以人言爲可畏因而常閉口的先生們呀！
啞子却是你們最好的導師了。

（四）聾子

當該咒罵的可怕的槍聲起來時，
我恨不能變做一個聾子呀！

工作之後

鄭振鐸

倦了——爲誰忙着呢？
這淡而苦澀的『生之果』
不如捨棄了罷。
但是我是無勇的人呀！
無勇的人祇好匍伏在『工作』之前了。

孤獨

周得壽

愛我的——死了！
怨我的——去了！
只剩下一個孤另另的我了！

廢園

朱湘

有風時白楊樹蕭蕭着，
沒風時白楊樹也蕭蕭着——
蕭蕭外園裏更不聽見什麽。

野花悄悄地發了，
野花悄悄地謝了——
悄悄外園裏更沒有什麽。

四十

D字樣的月光

D字樣的月光

汪靜之

大地沉沉睡去，
夜是死一樣的寂靜。
D字樣的月兒獨自來拜訪，
温和的臉對着伊說：
『吾愛！好了，
天公放我來見你了。』
伊笑吟吟地歡迎着；
沒有回答，只是輕輕地凝笑。
月兒把伊，西湖，當浴盆，
躍在清水裏很快樂地洗浴。

惡狠狠的風來了，
黑漆漆的雲把他倆截開了。
湖水吹激起來，
發出如泣如訴的悽切聲音了。

——春的西湖十一首之一

D字樣的月光

夜鴞

梁宗岱

『咿唔，咿唔』夜鴞的聲音，
人生的詛咒者的聲音，
像悽切的葬鐘一樣，
把我從許多惡夢當中，
兀地驚醒了。

『咿唔，咿唔，』夜鴞的聲音，
悽切而且恐怖。
欲招將死的病魂麼？
詛咒衆生的夢想麼？

還是無端的呻吟呢？
『咿唔，咿唔，』悽切而且恐怖。
我既不是將死的病人，
怎能把我的游魂招去呢？
但我無窮的夢想，
柔弱者虛幻的夢想，
都給你詛咒殆遍了。
連我的遊魂都一幷招去吧！
我怎能夠也「咿唔，咿唔」的

夜鵂

把人生努力地詛咒呢？

三月廿四和小佛遊城南公園

澍世

春老，
午後，
松影下坐着我們兩個；
大家靜默着不說什麽，
可是誘來了不少詩意。
他看書，
我和詩意調戲，
他笑，
我也笑，
各有各的笑意。

三月廿四和小佛遊城南公園

三月廿四和小青遊城南公園

蝴蝶戀戀地：
在柳枝裏亂飛。
則爲何？
我也不知，
他也不知，
却要問問詩意。
靜絕的空氣
立正！槍放下！
園外的兇箭，
直穿透了千層空氣，
射到我的心底。

湖邊

鄭振鐸

取了一塊石，
拋入碧玻璃似的湖水中，
湖水漾蕩了一會，
便又平靜了。
映着夕陽的紅光，
漾蕩着的水也好，
明鏡似平的水也好，
總是說不出地美的。

石路

徐雉

獨輪車軋軋地在路上拖過，
印出一條模糊不明的痕跡。
石路的胸間受了傷，
在那里呻吟而嘆息。
他向着車夫說；
「我天天在重擔底下度日，
遭了車輪的蹂躪和踐踏，
我的傷口不知幾時才能合？」
車夫低頭不語，

曳着車更急促的向前進，
他本曾想不到自己的命運！
更何能想到石頭的命運！

詩　意　　五十

詩意

周得壽

詩意似倚門的女郎，
逼近去，
却翻身躲起了。

小詩

C P

（一）

我的愛麼？
在夢裏遇着，
在幻想裏現着。

（二）

我竟這樣枯瘦了？
眞的，那才是我的受用處。
肥胖的人們，
不把可貴的精液去消耗了，
自己享用；

却推出許多肉塊，
給人家看。

燭光

丁容

一　小小的燭光，也有他的微溫和光明；
但燭的自身仍是模糊，冷硬的黑影——
『我自己的光明是爲別人燃燒的呀！』

二　母親呀！將我這最心愛的給我罷！

三　遠處的歌聲——
我在你那最高的音節上認識了宇宙；
可愛的工人——
我在你最忙碌的時候更了解這人生了。

四　他將我的話，水一般的吞下去了；
更找不出一句回答來！

五　歡喜拿人頭骨作裝飾品的女神；
唱的是最和平的調子，
誰相信她是眞的呢？

六　兒時的歡呼，羞怯的微笑，失却伴侶的悲哀；
啊！這是眞實的人生，過去的太快了！

七　『你不能強要我合唱！
我們的聲調太不相像了。』

八　船啟椗了，向那生命的長途；
只有現在是光明的，前後却都模糊了。
『你不因此失望罷？前進是你的責任！』

九　你知道過去的錯誤，現在就是對的；

你怕暴徒的欺侮，除非你自己做暴徒去；
你要尋幸福，幸福不會尋你——
『不要忘記了你自身的光明喲！』

十

寂寞的嫩葉喲，玫瑰花已經謝了！

十一

初生的時候不覺的快樂；
將死的時候爲什麼痛苦？
啊！你的責任完了，在悲哀的輓歌中，
卸了你的擔負嗎？
啊！在後人的哀悼中，
爲『自由』造成道路嗎？
『啊！不要忘記了你的後人罷！』（替代輓歌）

五十六

十二　『可憐的小鳥呀！自然美呀！你不能出來嗎？
『悲哀的小鳥呀！我愛你呢，我也進了你的籠裏，……
『唉！再不要做自然的夢罷！』

十三　離開了個人的自由，還有什麼自由呢？
忘記了他人的幸福，還有什麼幸福呢？
……………………

十四　假設我曾經有個情人，
她將嫁人像別的女子一樣；
但是只向我柔聲的哭泣
在將別的前夜裏——
『不要哭罷！我的愛，顧你愛他像愛我似的，並且無論什麼人類你的「愛」光明了這濁世罷！

十五　假使我們沒有善惡的觀念；
世界是如何的可愛！
這是吃了智果的過失嗎？
上帝爲什麼栽了那一棵智果呢？……
生命之樹不讓人們享受；
周圍了烈火，這是什麼用意呢？
可憐的人們祇是上帝的玩具！
生命呀！是不讓人解釋的嗎？　（讀舊約後）

枕上

什麼都靜了，
什麼都閒了，
那可惱的相思，
却又來敲門了。
我準備着惱他，
我準備着拒他，
可是這沒意志的心兒，
又給他寬恕了。

黃潔如

離情

黃潔如

她目送他的行人，
她卻裝做有意無意。
她終於舉起懷中的孩子，
輕輕地對他說。
「爹爹去了，
他是不肯抱你了！」

微笑

黃潔如

比刀還快的惡意的微笑，
浮遊在人們的玲瓏的口角上。
但我仍感謝他，
能浮遊在惡意的人們的口角上。

小詩

侍鷗女士

（一）

風雨之夕，
宇宙孕着的秘暗，
一齊都發洩了。
預料——
明日紅日滿天罷！

（二）

蛾眉似的月，
不再缺了——
伊只有直趨美滿。

小詩

（三）

月季花，
已枯殘了；
花瓣上尚留得些微的殘紅。

（四）

細雨雖小，
一點一滴的也把土溼潤了。

（五）

枯草呵，
再見！
——陽春要來了！

（七八）

回到了鄉園，
只要在夜睡夢神未來以前。

The Short Stories Magazine Series
The Cross Road and Other Poems
The Commercial Press, Limited

中華民國十三年十一月初版

回（小說月報叢刊）
歧路一册
（每册定價大洋壹角）
（外埠酌加運費匯費）

編輯者 小說月報社
發行者 商務印書館
印刷所 上海北河南路北首寶山路 商務印書館
總發行所 上海棋盤街中市 商務印書館
分售處 北京天津保定奉天吉林龍江 濟南太原開封鄭州西安南京 杭州蘭谿安慶蕪湖南昌漢口 長沙常德衡州成都重慶瀘縣 福州廣州潮州香港梧州雲南 貴陽張家口新嘉坡 商務印書館分館

七一九七分

良夜

王統照等著

商務印書館（上海）一九二五年一月初版。原書五十開。

小說月報叢刊第十七種

良夜（新詩集）

上海商務印書館發行

良夜

新詩集

目次　二

目次

良夜歌

王統照

半夜的街頭：
陰暗的樹蔭中，
瀉蕩着如銀的月色，
微風吹起，
掃盡了一天的煩熱。

道旁的理髮鋪裏，
燈光下，
彈出胡琴與月琴的繁音，

良夜

激越而沈蕩，
　並且綿渺地含着憂咽。
我由門前經過，
半夜街頭的樂聲，
使我深深地感到細微的愉慰與隱藏的傷感！

終古是長明的月光，
而這樣的良夜，
在短短的一年中能有幾個？
況有街頭的樂聲，
來伴我獨行的寂寞。

二

「朋友呵！
你不要將這樣良夜來匆匆拋却！
你不要向深思之淵中，作憂夢的生活。
世界的黃金，有時會變成黑鐵。
你的心碎了，髮落了，
你向人間，會否找到眞誠的慰藉？
只此片刻中；也只有是在此片刻中，
朋友呵！
你的心絃，或者與我的音絃調和。」

良　夜

迷惘的夜行中，
似是月琴的絃聲，同我細細地說。
遠了，更遠了，
如銀的月色，在樹蔭中仍然流瀉着，
絃音沈蕩而激越，
　並且綿渺地含着憂咽。
一隻夜鶯的歌聲，斷續地和了街頭的繁音，唱着『良夜之歌』。

十一，六，三號夜中由街頭步行歸時寫

夜

侍鷗女士

燈火透進窗內，
似來呼我——
不，
已輕輕隱去。

一九二二，二，十八，上海——

晚眺

侍鷗女士

天半挂着幾縷寒烟——
一線——二線——
忽然不見!
遊子的心呀,
正是微細的烟!

一九二二,三,十六.在黃浦江岸

小溪

梁宗岱

一條小溪，靜悄澄清的在山谷裏流着。
有幽林做牠的游伴，有小鳥做牠的歌侶。
但是，濁些，更濁些，急些，更急些，牠漸漸地變成小河，四圍充滿了人家和船隻，
而且快流入洪濤洶湧的大海了。
我的生命喲！你底途程就是這樣。
你從前是靜悄澄清地流着的。
現在呢，却溷濁，湍急，遍佈了黑色的斑點，而且也快要流入洪濤洶湧的大海
了。

一九二二，五，二——廣州

淚

徐雉

小孩子忽湧忽收的眼淚
好像夏天大點子的陣頭雨，
不過青年之淚水，却如春雨溼春林，
迷濛地來又不來去不去 |

旁觀者

徐雉

旁觀者呀！
勝利者得意的微笑，你們也已看飽了，
且回頭瞧瞧那被損害者的慘淡可憐的淚容罷！

哭

十 徐雉

受不住痛苦和壓迫——還是嗚咽地哭罷!
「哭」本是弱者對付強者惟一的手段呀!
『你若再哭,我便打死你!』
這不是晚娘辱罵的聲音?
唔!原來哭的自由是不容易得到呀!

一九二二,六,十四。於東吳大學

春

朱湘

畫師的
一夜裏春神輕拂毛筆，
將大地染成了一片綠絹；
海，是他的筆洗，這時水綠波起了；
伊在絹上畫下一幅甘、香、歌、舞的彩畫。

農人的
秧田邊一陣田雞叫，
小二倒騎着水牛，高唱着秧歌的回來了。

良夜

樂人的
蜜蜂喁喁將心事訴了，
久吻着含笑無言的桃花，
——東風偸過茅籬，
窸窣，蜜蜂嗡的驚起，逃去了。

戀人的
你的眼珠是我的碧海，
你的雙輔是我的薔薇，
你的笑聲是我的鳥鳴。

十二

「啊，我的薔薇！
生在我的心地上！」
我的心地上是不老的青春。

棄婦的

春來了。
——但他却沒來。
陰雨微微：
這正是他踏着落花、西去的時候。
小河，你活活的說些什麼？
你是從他那裏來的？

良　夜

十四

囚人的

綠草沒來這里：怕傷他的心。
屋裏漆黑：他的日頭已經落了。

老人的

好暖的太陽！
他慢騰騰的挪出了個小杌子。
縐臉上添些笑紋，
他聳起肩、伸長頸，看着河裏兩個泥水滿臉的小孩子：
春天又來了。

孤女的

林蕙的新衣眞綠;
我去掐片綠草罷。

詩人的

素娥深居在水晶宮內。
濃柳陰掩不了夜鶯讚頌的歌聲;
紫地丁、梨樹俯首默禱的影子落在黃色新茵上,長的、短的。
看哪! 那耀眼的不是月淚?
明日裏這些淚珠一粒裏將長出一朵鮮花:枝啊,莖啊,你們眞有福分!

良夜　　十六

就是柳陰下朦朧水草，他們也看見一團團銀波點頭相招，要引他們到那岸，
在那里白霧的垂帷後安息。

勃來克（愛爾蘭詩人）

徐蔚南

偉大的勃來克呀！
我看你的 Life-Mask：
眉頭縐着，眼兒瞑着，口兒閉着，
這正表象你彷徨於想像的世界！

你負了孤獨的運命行你自己的道！
你如亞當樣的棄了衣衫在山野裏逍遙！
你如小兒樣的大哭大笑！
哦！粗野和純朴是你惟一的道！

良夜

神聖事業在互愛!
萬物在永遠界裏發光輝!
你們胸中有我在,
你們又在我胸內!
哦!這是你心情底眞髓!

你說「孔雀底傲慢,神底光榮!
山羊底貪慾,神底恩寵!
獅子底忿怒,神底知識!
女兒底裸體,神底事業」

十八

哦！這是你的偉大呀！
這是你的力呀！
這是你的深呀！
你越了時代，破了周圍，
創造了你永遠的勃來克呀！

微笑

徐蔚南

小兒呀！你見我嘆氣，
你不知道我爲什麼嘆氣。
你却對着我微笑！

小兒呀！你見伊哭了，
你不知道伊爲什麼哭了。
你却對着伊微笑！

小兒呀！你見太陽落了，月亮升了，

你不知道爲什麼太陽落了，月亮升了。
你却對着月亮微笑！

小兒呀！我讚美你！
我讚美你向我微笑！
我讚美你向伊微笑！
我讚美你向一切微笑！

良夜

夜靜了

二十二

王統照

夜靜了！
我開始想去沈睡；
想去滅絕一切使我不能平安與恬靜的思想。
燈光慘慘的搖綠，
風聲淒厲的從窗外灌入。
由風的微聲中，
似乎告我說：雪的細粒，——或者是夜中之霰吧，——打在窗上的薄紙了！

我開始想去沈睡;
我祈禱般的誠心，想使我暫時停了生命的內在的活動。

幕上之光啓了!
青髮覆額的她，隱約的坐在夏日的亭上
凝着要化水的眼波，
望着亭外夕陽下的碧草。

一刹那罷了!
却一夜裏，使我不能避去不睡的煩擾!

良夜

心上的箭痕

二十四

王統照

哦！慘苦與驚嚇的呼聲，
「心」從夜底的黑暗之窟中喊出。
聲漸微細了！
也許是爲黑暗之影壓下啊！

「心」的全體却漸漸呈現出來，在別一個清白的地上。
可是已不是完全赤的「心」了！
蜂窠般的箭鋒之痕，已攢成一個血花之團。

他好容易逃出了黑暗之窟
醉人的陽光照着；
蓮花的嫩瓣掩着；
温熱帶了情思的風吹着，
赤色的箭痕，漸漸變成蜜色。

一團的花簇。
一顆帶色的寶石的光燄。
醉人的陽光照着；
蓮花的嫩瓣掩着；
温熱帶了情思的風吹着。

良　夜

箭痕裝滿了的「心」
從蜜色中，微微現出甜笑！

二十六

伊和他……？

（不連續的三種印象，藏着人間的許多悲劇）

佩蘅

伊只剩一支金簪，
今天也只得把來給他了——
——讓他去還賭債固然不妥，
但不給他拿去又怎樣得了？

伊侍奉了他二十年，
這二十年中也自信有雙方的恩愛。
但明明地現在另有一個「伊」在外邊，

良　夜

請問不死給他看，又如何報得這仇怨？
伊也不差，他也不壞，
『眞眞一對好夫妻！』人人個個這麼說。
——但伊畢竟打不去這思想：
『將來見着上帝，我拿什麼對他說？』

荷葉

朱湘

夏天中上的太陽
把池邊牆壁晒的直抖，
牆下水草頭低的都要到水面，
知了啞了止了，
更沒一點別的聲息：
夏天中上的太陽實在利害，
可是池裏荷花依舊直直地，
荷葉上的水珠兒還愈晒愈耀眼；
夏天中上的太陽沒一物不曾晒到，

可不曾晒到荷梗上的蜻蜓——
他們都很安閒的在荷葉陰下休息。

蜻蜓
紅的綠的小的大的：
都好看，
都有掠微波的薄翼；

荷葉
半捲的，全開的：
都可愛，

都是蜻蜓的小綠傘

星

汪靜之

耀耀地望着我
那顆星的眼睛。
伊雖遠在天頂，
伊的靈光却已照澈我的心。
怎樣的悅目呀，伊是！
伊笑着伴我在這靜夜，
能慰我的孤寂。
忽地騰起一片黑雲，
深深地把伊遮了。

可愛的星光
再也看不見了——
再也看不見了。
然而伊那愛的光
早已印在我的心裏。

二二，六，一九二二。

自制

邰光典

一

烟味還好，
酒味太薄了；
我喝醉了麽？
不，沒有；
——絕沒有！

二

在愛河裏洗過澡的；

在情海裏駕過船的；
全有點靠不住。
你待我的厚意太重了；
——重的我都拿不動了！

三

失意人；
過來人；
全有點信不住。
神聖純潔的『愛』，
全被他們強奸了；

自制

污害了；
玷了；
減色了！……

四

烟味好，
——太好了；
把我給薰煞了！
可恨酒味太薄；
朋友，
好酒呢？

拿好酒來！
我海量，
全不怕！
醉後酣睡：
正是我所企求的啊！

良　夜

潺潺的流泉

一

潺潺的流泉，
潺破了堅固的磐石，
却潺不損柔和的沙土。

二

當夜神與夢神攜手的時候，
當萬千的音響沈睡的時候，
我們的靈魂輕飄地飛舞了。

三十八

孫守拙

三

呵呵！
深秋清晨的冷氣，
把淡白的早霧，
凍得這般震顫！

四

朋友們！
小心些罷！
月光會給雲片遮沒的呵！

良　夜

五

枯枝
落葉
在蒼白的月夜的冷地上爬行着。

六

一曲悠綿的幽歌，
一陣温暖的微風，
喚醒了他們。——
從心房深處，

湧出思家的酸淚。

七

悲哀，
在靜默的淚光裏映射出來，
不在號咷的大聲中呈露。

八

桃花呵！
你不要這樣羞豔的引誘着我，
我是很軟弱的呵！

九

謝你！
慈祥的眼淚呵！
把憂咽苦痛的情感，
洗滌淨了。

十

小孩子呵！
你要看月亮？
來，這里來；

你看月兒與江水接吻，
你看銀光與蒼波擁抱，
你看他們這般歡跳。

十一

大風！
你不要嗚嗚的嚇人；
小弟弟要睡了。

十二

頂微妙的是：

良　夜

在沉默的夜中，
聽着心弦的跳動。

十三

重逢久別的故鄉，
在暮色朦朧裏，
望見了禮拜堂高峻的塔尖。
鐘聲弘亮
瑠瑠的敲動了心房：
想起老母倚門，
愛姊微笑……

呵！我的心呵！

十四

海波怒了：
激得一低——一高；
狂暴的白沫，
在溫軟的沙灘上轟盪。
但溫軟的沙灘不怒；
他仍是微笑着，
保持他的溫軟的本質。

十五

呵小妹妹！
你在這樣大的風雨之夜，
走這樣長的路程回家！

十六

悲慟的人們，
流着淚兒罷！
你們的酸楚，
原是不得意的啊！

十七

幽靜的松林裏，
春雨剛停的時際，
光明的水珠
在青碧的松針上滴滴而下。
詩人呵！
到那里去攝取你的靈感！

十八

釣鉤對金鯉說，
『原諒我罷！

我也是怪可憐的，
給人役使着呢。』

十九

晶瑩皎潔的水珠，
掉下到烏黑的泥潭；
忽地不見了。

二十

鳳仙呵！
你的淡紅的顋兒上，

那里來了一點泥斑?

二十一

失望來了:
一片粉紅的花瓣兒,
悄悄的落下井的深處去了。

二十二

北風嗚嗚的冬夜,
雪的仙女臨到了;
手挈着銀紗的提籃,

在寒霜與月光混和的白霧裏，
輕輕篩散了雪花。
早晨小孩子們起身時，
昨夜黑的世界全部明白了。

二十三

夜間我醒了，
一切都很沉寂：
『喔！明月！
原來是你！』

二十四

屑屑率率的細雨呵！
你覺得倦時，
就在樹梢上睡下罷！

二十五

口琴吹着，
吹出幽妙和諧的調兒；
這是誰呵！

二十六

滴滴的流泉

良夜

小白花呵！
你不要動，
讓我拭去你隔夜的眼淚。

二十七

雀兒！
來吃些米罷！
外邊的天氣，
你不覺得冷麼？

二十八

哦！
聲聲的被生命追迫着的
人們的慘呼聲，
震斷了多少歡笑的心弦？
鎖住了幾許快樂的血潮？

二十九

小孩子的悲啼：
是玫瑰花的刺？
是荊棘的鋒芒？
一聲聲的穿透了我的心房。

三十

幸福的使者呵！
住了脚罷！
你背後的人太多了。

三十一

迷濛濛的細雨，
陰慘慘的冷風；
但那些嫩黃油綠的枝苗，
却一齊出來了。

三十二

悲痛呵！
遇見得太晚了！
初見時幾分鐘的岑寂，
充滿了無限的酸意。

三十三

住在心的深處罷，
天眞呵！
讓我拿靈魂的火炬來照你。

七月的風

汪靜之

七月的風，
流洗了我的心靈，
吹動了我的心絃，
激起了我的心波。
但是，——
可曾流洗了你的心靈？
可曾吹動了你的心絃？
可曾激起了你的心波？

我唱的情歌，
你的心諒該聽得懂罷?
只是你弗再硬要關閉你的心花呵!
我的愛潮要湧着流入你的情海，
振蕩起你的愛的波濤喲!

失望

梁宗岱

明媚的清晨，
我把口琴兒嗚嗚地吹。
金絲鳥聽見了，
以爲是他的伴侶；
飛來窗前菁幽的竹林上搖盪；
便又失望地飛去了。

黑蝴蝶聽見了，

以爲是蜜蜂採花的嗡嗡聲；
從窗前菁幽的竹林飛過來，
便又失望地飛去了。

失望的朋友們啊！
怎的我不是你的伴侶？

一切都不是她的

徐雉

她有櫻桃般的嘴；
她有楊柳般的腰；
有與象牙爭白的粉頸，
和那與烏雲同黑的雙鬢。
憑她的同伴怎樣羨慕與妒忌，
她總是說：
『這些子都屬於爺娘，
我沒求得，怎好說是我的？』

她眼眶裏充滿着光亮的淚珠，
像水晶一樣；
她心窩裏深藏着甜美的愛情，
像蜜糖一樣；
她血管裏流動着鮮紅的血液，
像珊瑚一樣。
但是她說：
『我已把這些子贈了我愛，
我但爲他保護着這淚珠愛情與血液！』

她有安逸的靈魂，
一切都不是她的

純潔而無瑕。
『那末靈魂總是屬於你的了。』
她却微笑地回答說：
『靈魂嗎？
一半兒屬於我愛；
一半兒是在上帝的掌握中；
怎麼可以說是我的呢？』

一九二二，六，二五。於東吳大學

雜詩

郭雲奇

愛人！
不要拿情絲牽我！
你底愛，太陽般的熱烈，
水晶似的純潔，
葡萄酒紅玫瑰似的甘美；
我底呢？——
一半在白楊下的孤冢裏，
一半在剛出海面的新島上。

春的漫畫

張人權

畫缸裏的水開了凍了。
畫碟裏的顏色開始用了。
我倚在「春姑娘」的肩上，看她漫畫：
她把一張灰白的畫紙
紅一塊，綠一塊……的塗滿了鮮濃的顏色。
我輕輕地對她說道：
「我的愛，
請你把我這魂靈兒，

安放在這紅，綠……之下罷！──
她回頭對我微微地笑了。

一三，三，三〇。

小詩

徐玉諾

一

相聚時總是嘲着——並且各個都眞的惱起來了，
別後却像心船失了繩索似的兒念着。

二

贈品原是結愛的，
却刀子似的刺着別者的心。

三

倘若你飛也似的來到這寂寞旅舍裏，
一定很奇怪的問：爲什麼可這樣削瘦？
人生原是被愛滋養着的啊！

四

在我們聚歡時那每一方手巾都是潔白的；
現在我的是汚黑了，
並且我一點也再不能洗白牠。

五

疲倦得迷魂的，但是不敢睡覺呵！

良夜

恐怕將永久安息在寂寞裏，
沒有人爲餓爲寒爲愛來喚醒我。

The Short Stories Magazine Series
"A Beautiful Night" and Other Poems
The Commercial Press, Limited

中華民國十四年一月初版

(小說月報叢刊)良夜(一冊)
(每冊定價大洋壹角)
(外埠酌加運費匯費)

編輯者　小說月報社
發行者　商務印書館
印刷所　上海北河南路北首寶山路　商務印書館
總發行所　上海棋盤街中市　商務印書館
分售處　北京天津保定奉天吉林龍江　濟南太原開封鄭州西安南京　杭州蘭谿安慶蕪湖南昌漢口　長沙常德衡州成都重慶瀘縣　福州廣州潮州香港梧州雲南　貴陽　張家口　新嘉坡　商務印書分館

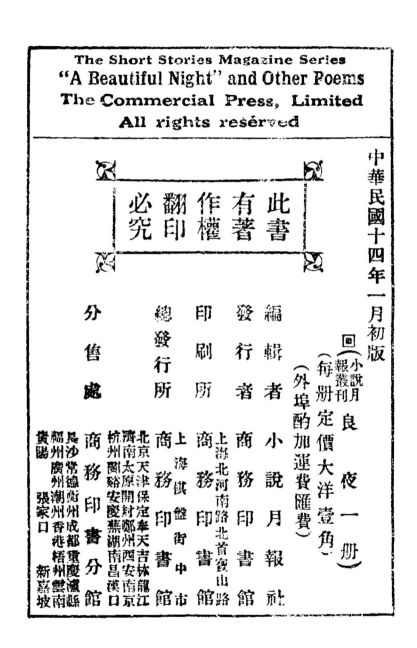

眷顧

小說月報社 編

商務印書館（上海）一九二五年四月初版。原書五十開。

春顧

新詩集

1924

小說月報叢刊第五十八種

眷顧

（新詩集）

上海商務印書館發行

目次

眷顧　二

眷顧　四

眷顧　六

旅路

朱自清

我再三說，我倦了，
恕我，不能上前了！

春底旅路裏所有的悅樂，
我曾儘力用我淺量的心吸飲。
悅樂到底乾涸，
我的力量也暗中流去。
恕我，不能上前了！

希望逼迫地引誘我，

又安慰我，
「就回去哩！」
我不信希望——，
却被勸着默默地將運命交付了伊——
無力的人們，
怎能行他所願呢？

焦了每次微跳的心，
竭了每滴潛藏的力：
唉！眼前已是我的屋裏了！
唉！眼前已是我的屋裏了！

疲倦電一般抽搐着全身，
我倒在地上，
我空伸着兩手躺在地上！

上帝，你拿去我所有的，
賜我些甚麼呢？
可憐你無力的被創造者，
別玩弄地寵着了；
取回他所僅存的，
兌給他「安息」罷！——
他專等着這個哩。

旅路　人間

眷顧　　四

人間

朱自清

那藍褂兒，草鞋兒，
赤了腿，敞着胸的朋友
挑副空的籮擔來了。
他遠遠見着——
見了歧路中徬徨的我；
他親親熱熱地招呼，
「你到那里？」
我意外地聽他，
迫切地答他時，
他慇懃懃指點我；

他有黑而乾燥的面龐，
灰色凝滯的眼光，
和那天然的粗澀的聲調。
從這些裏，
我接觸着他純白的眞心。
但是，我們幷不會相識。

伊穿的紫襖兒，
繋的黑裙兒，
走在伊母親後面。
伊伶俐的身材，

眷顧

停匀的脚步，
和那白色的臉兒，
端莊，沈靜，又和藹的，
又莊嚴的臉兒：
在我車子過時，
一閃地都收入我眼底。
那時伊用了融融的眼波，
隨意地看我；
我回過頭時，
伊還在看我：——
眞的，伊再三看我。

六

從伊雙眼裏，
我接觸了伊爛漫的眞心。
但是，我們幷不曾相識。

二一，五，八。

慰死者

夢雷

民國九年，作客湖北宜都之大查關，得靜室一，居之，開北窗一望，則墓地一遍近百畝，荒塚纍纍如列星，同事爭告以此處時聞鬼哭，(有與無可不論)余乃作詩二首以慰之。

作者附誌

一

對着上帝，
枕着大地；
看着秋天的野月；
聽着風雨的幽聲；
嗅着四季的花香；

吸着甜蜜的甘露；
好不快樂，
你們的肉體！

二

伴着可敬愛的上帝，
看着怪紛紜的大地；
離開了痛苦之魔；
離開了失望之魔；
離開了世界上一切的魔鬼；
好不快樂，
你們的靈魂！

火災

徐玉諾

沒有恐怖——沒有哭聲——
因爲處女們和母親早已被踐踏得像一束亂稻草一般死在火焰中了。
只有熱血的噴潑，喝血者之狂叫，建築的毀滅，岩石的崩壞，槍聲，馬聲……轟轟烈烈的雜亂的聲音碎裂着。

沒有黑夜和白晝——
只有彌滿天空的黑煙紅火，翻反的塵土焦灰流盪着。
我們暉醉，東倒西歪的掙扎着……我們的脚下是死的放着

熱烈蒸氣的朋友，兄弟姊妹的身首；呼吸的是含着焚燒親人
的香氣；我們喝的是母親的血……
——沒有詩，只有快要酸化的心底跳動——

眷顧 十二

途遇

梁宗岱

我不能忘記那一天。

夕陽在山，輕風微漾。

幽竹在暮靄裏掩映着。

黃蟬花的香氣在夢境般的

黃昏的沉默裏浸着。

獨自徜徉在夾道上。

伊姍姍的走過來。

竹影蕭疏中，

我們互相認識了。
伊低頭赧然微笑地走過
我也低頭赧然微笑的走過。
一再回顧的——去了。

在那一刹那裏，——
直到如今猶覺着，——
心絃感着了如夢的
沉默，羞怯，與微笑的顫動。

十，二八，一九二二。——廣州

眷顧　十四

詩情

黃鶺白

淒清的晚風，
嬌懶的斜日，
列着陣兒的五點飛雁
游行自在的幾朵彩雲；
一天秋色，
却織成我一縷詩情，
輕煙似的，
遊絲似的，
從心頭裊上指尖，
更從指尖裊上筆尖兒來了。

我急急地搖着筆兒來寫；
那一縷詩情，
却又輕煙似的，
遊絲似的，
從筆尖兒上飛去，——
御着輕風，
傍着斜陽，
伴着飛雁，
隨着白雲，——
一直上了天家。

眷顧　　　十六

小詩

黃鴛白

一

輕打着玻璃窗底小雨點呀，
你也在那里吟詩麼？

二

黑暗躲在樹林裏詛咒着月光；
月光只微微地報之一笑，
便驚碎了她底心魂。

三

柔波向着月兒低語道：
『你永遠睡在我懷裏罷！』

四

無賴的月兒呀，
你又偸偸地用着你這間諜似的眼，
來窺探詩人心坎裏底祕密麽？

眷顧　十八

我的詩歌

徐玉諾

我無心的穿過密密的樹林，經過一個小小的村莊的前面，小鳥和人類格外的親密着．

我的詩是不寫了！——因爲盪漾在額上的微笑是無限的；歌是不唱了！——因爲無聲的音樂是永久的。

假若我不是一個弱者

徐玉諾

假若我不是一個弱者，
我要提隻手鎗走進故鄉去；
在那血煙飛濺，屍身滿地，
丘八，
匪將，
或者村長手下持鎗的人們中間不分彼此的
戰場上，
我毀滅了他們；
或者，
他們毀滅了我！——自己；

眷顧

那總也是有意義的！

二十

兄去後十日

陳寬

『他還沒信來嗎?』
帶着愁容的母親,
又失望地開了。

眷顧

二十二

春夜

陳寬

夜間，
水田裏蝦蟆的聲，
似思念遠行的人。

過去

陳寬

再見吧，
可愛的黄昏的煙痕！

眷顧

燕子

天快落雨了，
看！打圈的燕子。

二十四

陳寬

小溪

陳寬

雨過了，
溪水唱着鏗鏘的調兒。

眷顧

遲疑的心

明月呵！
仍然如故？

二十六

陳寬

清明的早晨

陳寬

像老頭兒咳嗽一般，
鴿子在紅的屋瓦上，
苦呵苦呵的啼着。

眷顧

二十八

我要死了

張鶴羣

我要死了，愛人！
我眞的要死了；
莫再用你靈活的秋波瞟我，
把我垂死的心拘了去，——
我願我的心和軀體一起化成不識不知的泥土。

我要死了，愛人！
我眞的要死了；
我死後，莫葬我在大陸，
須葬我於海濱；

海濱潤溼而溫和，
大陸太乾燥。

我要死了，愛人！
我眞的要死了・
這時我心流的平和，
猶如春水的靜恬；
在我墳上，莫種榆柳與松柏，
否則，有黃鶯兒歌唱的煩噪。

我要死了愛人！

眷顧 三十

我眞的要死了。
我死後，莫豎招魂旗，——
招魂旗兒飄飄、
我最靜恬的靈魂擣亂了。

一九二三，三，三十一日，於蘇州，東吳

小詩一

徐玉諾

在這個驕奢爭逐的世界裏，
遽然有高唱「到民間去」的，
我們很感謝他們的厚意；
但是我們的兄弟，
却都「從民間來。」

眷顧

三十三

小詩二

徐玉諾

美女頰般鮮紅而且豐豔的毒蕈，
惡的惡的美人呀，
看在眼裏却已毒在心中了。

蠅

盧景楷

很活潑的一個蠅子，
忽然落在熱騰騰的湯盆裏；
儘力的顫抖了幾下，好像得了安慰似的，
永久不動醒了。

眷　顧　　　　　　　　　三十四

夢的人生

盧景楷

人生不是夢覺嗎?——
拿血汗換飯喫的苦工,娶妾坐轎的官僚,被風吹動的花朵,布在天空中的雲霧,一剎那都化爲無有了。
有一次我沿着陰暗的深河,很驚怕的墜在水裏;醒來都毫無傷却。
被鎗決的犯人,也不過驚醒了他的夢覺!

一九二二,一二,一日臨潁

憶

俞平伯

汚下的人生，
汚下的愛，
以誇張而增他們底汚下。

我們應當說愛是人的；
我們可以說愛是獸的；
我們不能說愛是神的。

牠如離我們遠，
他離我們更遠了；
牠如不全可知，

他更全不可知了。
誰忍將堅韌柔熟的肉愛底情絲，織成憧憬似的輕紗呢？

我們都有戀人，
我們都要唱戀歌；
歌兒怎樣地唱？
人兒怎樣地去媚着呢？
惟一的道路只是清切地老覷着他或她底臉。
臉微微的紅時，
琴弦澀澀地岔了。

我們都有戀人，
我們都要唱戀歌。
如你爲他或她之故而唱戀歌底時候，
則千萬唱得老實些罷；
如你爲他或她之故而唱一切的歌底時候，
則千千萬萬唱得老實些罷！

凡是什麼樣子的，
正把牠說成什麼樣子：
這是對於「生」底虔肅。
少了一分是侮辱，

噫

多了一分還是侮辱啊。

眷　顧　　　三十八

你即不愛那一切，
也總當有所愛罷。
那麼，至少也看他名字底面上，不要老侮辱那一切了。
那一切和他底不可分，
正和你和他底不可分是一樣。
侮辱那一切，
即是侮辱你自己；
你雖信是不足道的，
但他呢，也還有他呢？

請你看他名字底面上，不要老侮辱那一切了。
汚下的人生，
汚下的愛，
以誇張而增他們底汚下。
這或是幸運的迴環；
但有如止水一般瑩澈的心的人，
怎能不攪動他悲哀底潛流！
他發願唱出人間底幕後，
只是幸運的人兒太多，
誰還理會到他底微嘶呢。
也是徒勞罷了！

眷顧 四十

也是徒勞罷了！——

雖然於一刹那間，他底負擔上有些不同。

他安然，寂然，嬾嬾地入睡；這確和往常歌聲未發時有些不同了。

倦便是甚深的慰藉和悅愉，

他又何必理會到『誰理會他底微嘶呢。』

二三，五，五。

輓歌

劉夢元

Awake him not! surely he takes his fill of deep and liquid rest, forgetful of all ill.

Shelley: Adonais.

一

今夜是月明，像秋一般的夜。

海潮嗚咽
是你常撥的，冷酷而單調的愛琴的弦聲嗎？
銀色的海鵝飛向碧琉璃似的海面，拍拍地響，
彷彿是你愛穿的縞衣素裳嗎？

二

碧油油的海水
是你倦行客的輭茵，
一躺下就沉酣地睡去。
霜雪般的讒譖，冷雨般的情意，塵土撲人似的愁緒，和巉巖可
　怕的世路
永遠不入你的夢了。

三

生前，誰知你埋在心淵裏的靈苗？
死後，誰爲你深切而久遠的哀悼？
但是你的精魂可要安帖呀！
夜夜船舷上半醉的水兵，無意的彈出泠泠淙淙的調子，

那不是你招魂的哀曲嗎？

四

啊，你被銀箭穿過的心！
雖是深，巨，不可見的創口，
嬌麗的海波掬她月亮似的情淚替你細細地洗濯了；
撕了她所愛的香霧的輕綃替你綳着了。
你的精魂可要安帖呀！

五

人間情人的慰藉和憐憫，不過是掠過飛鳥的浮雲。
永久，膩摯，纏綿的愛，祇在微醉的夢裏。
你被綠葡萄酒醉着的靈魂喲！

你可曾覺着她的柔纖的手的撫慰呀？

六

你能夠焚卻你破碎的心琴；
你怎能夠涸了你弦上浪浪的清淚？
她要隨着夜夜的晚潮，到宇宙的盡頭，
滴入自然之琴裏，重奏一曲「惆悵之調」呢。

七

我要爲你悲哀啊！
茫茫的人生之海，
誰曾是開過的落花？
誰曾是圓過的缺月？

——但是開過的落花，圓過的缺月又怎樣呢？

八

水銀做的夜氣裏，流着幽微之香：
在繁星顫着的波面，只有時浮着一片舊夢一般的雲影。
你的精魂可要安帖呀！永久的安帖呀！
在聖潔，寂寥，沉默的中間，
自然之靈和你合體了。

五，六，一二。

眷顧　　四十六

狗的哭聲

崔眞吾

格格哈哈蛙的笑聲裏；
淅淅瀝瀝雨的泣聲裏；
忽闖入一陣「號號」的狗的哭聲。
狗呀！你也感到什麼了？

一二，四，二七枕上。

山行

李玉瑶

一

舉頭都是綠陰；
低頭都是樹影；
一陣陣斷續的蟬聲，
叫得這深林好靜！

二

『是那里的琴泉在響？』
立住了脚兒細聽：
『叮咚……叮咚……』
『哦！在那里！』

眷顧

——在那青苔覆住的石罅裏——

四十八

小詩

唐守謙

一

當我的神魂飛走在未實現的前程裏時，
那敲窗的細小雨聲，
忽引他盪漾於故鄉的春夜中去了。

二

每聽着嗚嗚的汽笛聲，
我的心就同嘗了別離的滋味。

四，二一，一九二三，於美國。

歸夢

梁宗岱

飄忽迷幻的夢裏——我跋涉着那迢迢的旅路，回到鄉園去。

暮色蒼涼，風光黯淡中，母親正倚閭望着門前塘邊的青草地上，弟妹們的嬉游如故；老母的慈顏，却已添上無限的憔悴。不禁放聲大哭！醒來，正是春暮夜靜的深處。碧紗窗外，朦朧月朧，子規哀啼。從慘散悽惻的留春曲裏，猶聲聲的度來陣陣落紅的碎香。

只是默默的在牀上微怔着。……

兒時的夢影，又殘雲般浮現出來了。

是一個嚴冬的霜夜。不知怎樣的，迷離的踱到一處無際的荒野去。漠漠的赤沙，漫漫的長途。淒煙迷霧裏，只見朔風怒號，寒月苦照，驚鴻悽咽，怪鴟悲鳴。小心裏惶然悚然，只剩有寂寞，只剩有荒涼！

再不敢久留了，急返身跑回家中。母親正淘米廚下。見了窘蹙，徬徨，客倦的我，百忙中，無可奈何的把那乳露一般的淘米的水漿給我喝了，溫溫的給我慰安偎存了。怯懦而恐怖的小心，迸着了慈母的撫愛，不覺哇的一聲哭醒來，卻依然安臥在伊甜溫的軟懷裏。伊手兒拍着，低聲唱着：「睡罷，寶寶睡罷。媽在這兒呢。」

眷顧　　五十二

母親啊！當我從這孤苦崎嶇的曠野，回到你長眠的樂土的時候，你還是一樣的把那淘米的水漿給我喝麼？

二三，五一三。

永在的眞實

徐玉諾

世界上一切平安、寧靜都是幻影；
惟有恐怖是眞實、普遍、永在的。
在靜幽花園，豐美原野裏，
正要散步，
忽然的
便有一只使人血管驟縮的、膽戰心驚的、黑豆一般的小鎗口
對準着——快要開火——你的眼睛。

眷　顧

五十四

為什麼

徐玉諾

你是不是問我，兄弟？
為什麼陽光這樣慘淡，
西北風這樣無力？
　驚夢的晨鐘打碎了，
　工作的號筒吹破了，
被囚的母親也困苦而且黃瘦得快死了。
　但是，我們的兄弟
一個個打着呵欠……怠倦……磕睡，……
連我自己也不知道是怎着的！

小詩

徐玉諾

一

淚涕流到枕上，
想必她正爲惡夢而哭泣呢。

二

母親呵
你那不止的擴散的無邊際的愛，浸透了白晝和黑夜。
寂寞的路上的孤廟裏的牆壁也滿上了。

三

能够想像伊的情緒時，
便是枯燥的黑暗的生活路上的溫情呵。

眷　顧　　　　五十六

池旁

顧彭年

池旁站立着幾株碧毿毿的柳樹，
一絲絲的黃金色的陽光，
照射在那些柳樹的葉子上，
反襯出一道稀疏的影兒來；
樹上面棲着一隻黃鷹兒，
喔喔喔正在歌唱着。

柳樹的對面有一所竹亭，
我同幾個朋友靜悄悄地坐在這亭中，
聽那黃鷹兒的酬唱着，

看那池中綠水的微動；
那澄清的池水，
似一面大的玉鏡一般，
四邊的景物，一一倒映在這當中。

驀然聽得工——東一聲，
只見池中起了幾個泡沫，
把那一灣的清水，
激起無數的淪猗，
變成碎玉般。

眷顧

黃鸝兒呢，
嚇得張起他底兩翼，
立刻飛向到別處去了；
清脆悅耳的歌兒呢，
也被他帶去了！
祇賸我同幾個朋友，
還是在竹亭中閒談着。

五十八

她

張耀南

她很愁悶——很枯燥的，
在墓地裏走着；
她那愁苦的面龐，
海波似的橫在上面。

她兩手攀着荊棘，
兩足踏着茨，
一步接一步的往前走着。

她在一個深坎裏遇着了我；

眷顧　　　　六十

那時我的周圍盡是毒蛇，蜂，蝎，
剝食着，
刺戟着。

我毫不在意的，
在那裏邊躺着；
找我最後的快樂和安慰。

那時我只是一架枯骨，
被血水浸潤着；
只有兩個眼球是眞的，

不時的轉動着

她愛我，
想親近我；
但是她被荊棘刺着手，
茨刺着足；
奄奄我就酣睡了！——死——
她怎能趕得上呢？

我的親愛者！
我的好伴侶！

眷顧

你不要接近我，
我這里有蛇，和蜂，和蝎；
我可憐你，
恐怕你不能受這種痛苦。

我的親愛者！
你不要害怕，
我決不像平常人，
要哭要號叫；
哭和號叫都是弱者的表現呵！

六十二

我的親愛者！
我告訴你：
「你不要悲哀，
你常在墓地裏，
就覺着死的趣味了。」

我的親愛者！
我告訴你：
「當我死以後，你要把我的衣服脫盡，
把我放在浴盆裏，
洗盡宇宙上之惡跡。」

她　冷光

眷顧

六十四

冷光

郭雲奇

深眼窩的白骷髏，
甘蜜蜜地躺在金沙裏；
不問墓草黃、綠，
不問花開、花謝，
不問月缺、月圓，
更不管霧煙瘴氣的火
這邨燒到那邨，這家燒到那家。

一九二三，四，一五。

雜感

李聖華

主啊，寬恕我罷！
當暗黝危懼的深夜臨到時，
我說：「主啊，我交托我整個靈魂給你保守。」
太陽剛出，
我從你握中奪回我的靈魂，
卻一聲不道謝。

眷顧

六十六

失去的光明

劉眞如

薰薰的六月深院，
平鋪着一些花影，
進我屋裏的光明，
頃刻的爬出了戶門，
我不知光明怎樣失去了？

一九二三，六月。

春的漫畫

張人權

畫缸裏的水開了凍了。
畫碟裏的顏色開始用了。
我倚在「春姑娘」的肩上，看她漫畫：
她把一張灰白的畫紙
紅一塊，綠一塊……的塗滿了鮮濃的顏色。
我輕輕地對她說道：
「我的愛，
請你把我這魂靈兒，
安放在這紅、綠……之下罷！」
她回頭對我微微地笑了。

晨風裏的人兒

王幼虞女士

魚肚白的東方，
亞坡羅托出烱爍的金盆，
地球上好動的有生之倫，
都從沈寂的迷懵中驚醒。

淺淺淡淡的停雲，
漸漸兒展開光明的密幕，
那邊婆娑的新柳，
招搖地引人走向人生之路。

但是那晨風裏的人兒，
她脆弱的兩足已蘇軟，
再不能向紛迷的生命之路進發，
行路難呀行路難！

她原也可以和人們一樣的，
在希望與快樂之露中笑盈以慷壯，
但她的希望和快樂呢？
已在那玫瑰花下深深埋藏。

不喝一滴綠酒，

以自戕她恬靜的心靈，
不過她的歌聲漸以悠微而逝了，
姍姍地走向平和之城。
她現在是生命的逃俘，
朋友呀！你將於何處找她？
看！卽此露珠未乾的清晨，
她已安臥在一堆青柏枝和紅玫瑰花下！

一九二三年，春。

最甜蜜的一瞬

歐陽蘭

她的臉兒偎着我，
我的嘴兒親着她。
最甜蜜的一瞬，
　不在吻時的臉兒相偎，
卻在吻後的秋波一轉。

眷顧

周仿溪

死神寄居在土匪的槍管裏，
小鼠一般探首管外，
眼睜睜望着我，而且啪啪振牠的兩翼說：
「不要恐怖，不要愁悶了，我隨時——無論白晝或黑夜——……
都可以飛快的眷顧你呢！」

一九二三年，四月，八日。

可恨明亮亮的月

周仿溪

可恨你明亮亮的月，
照澈一切；
倘若沒你的指引，
那里就蕩盡了我的家產，
而且又槍殺了我親愛而可憐的爹爹！

可恨你照澈了野外的叢林。
你輕輕望着土匪招手，
說：「這里有人。」
你幽幽的光，竟把我曬化做一張三千元的鈔票，

而且又𩈒化了我的東鄰，
𩈒化了我的西鄰，
𩈒化了我的南鄰，
𩈒化了我的北鄰。

往日見你：
誤當你是上帝的靈巧的燈兒，
白雲輕輕的來，
清風輕輕的去，
你也輕輕的做出戲弄的玩意兒明明滅滅；
誤當你是水銀的光波，

上下着，凸凹着，流流瀉瀉。
而今望着你
卻只是戰戰兢兢的心兒寒，膽兒怯。
這是你特意賜給我的呀——二十日以前的今夜！
可恨你明亮亮的月，照澈一切！

五月，二十三日。

眷顧　　七十六

惡花

徐玉諾

當我跪在奇異的花園裏邊禱告時，這個不期然的奇異的情人，她果然分披花枝，煥然出神的慢慢走來：

她那胸脯和手臂那樣壯大，卻是那樣的柔美；她的面頰比一切女人都要濃白而且大方而且像夏天早晨，被白霧籠罩着，大樹和小樹樣子和香花芳草密集着而充滿着清脆鳥聲泉流的山谷那般深厚；她的眼睛又黑又大像明珠般在那里滾流着，閃閃發着神光：彷彿她能受着一個青年像一顆寶珠一般，緊緊的握在手心裏，漸漸將他熔化了，

她縹縹緻緻的走近來，在她那微微飄拂的大而且白的美裙裏，現出一種說不出的吸引人的愛力；當她默默的俯視

着，定情的，允許我的要求時；我的心早被她那熱情的目光射穿了！

當我提起兩足，吻着她給我的親吻時，我覺得在她那溫柔而且玄妙，而且盪漾着迷人的微笑的脣邊，放出一陣撲鼻的毒的香氣；我早已一堆泥一般的死在她的脚下了。

眷顧　七十八

在我們家裏的中秋月

劉永安

月明圓圓的，
人家團團的，
高年的老婦們都抱了伊們的孫兒孫女在庭院中賞月，
慶節；伊們說話的腔調都是輕揚而且和密。
只有在我家呀！
唉！——我的老祖母竟捨了她嬌養十四年（註）的小孫
兒……不再抱我在伊懷裏念「彌陀」……回憶裏，滿面傷心
的淚珠兒，直如荷葉上流着下來的雨！

人家團團的，

月明圓圓的，
　小孩子們緊投在他們母親的懷裏，哭着叫着要爭喫那
供月明的月餅和棗梨；他們的母親阻止說，
「嬌孩呵，這是供給月奶奶喫的！……她喜歡了好照我
們黑暗的路：……」小孩子們看着月明都靜下了。
　只有我家呀！
　唉！——我的黑暗墓道住着的母親怎能會往前摸索一
步，而且伊的哭了十九年的（註）捨的孩子又誰會安慰過一
句半句！……只有受着人間的折磨，抱了滿肚子寃曲回憶裏，
滿面傷心的淚珠兒直如荷葉上流着下來的雨！
　月呀！——

你在湖面上同魚兒躍着，你在林間偸緣着枝條學鳥兒跳……

近呵！——走來了；進人家去了。

光呵！——閃灼着；向別人微笑了。

而且伊也帶着海燈般明晶晶的小孩們——天上人間原來是這麼一樣的。

只有我家呀！

唉！——狠心腸祖父和父親都已捨我死去只拋下我孤零零地沒人照料的苦孩子，這院呵——那屋呵——都是冰井一般的沉寂着——逢節期更是使我悲悽回憶裏，滿面傷心的淚珠兒，直如荷葉上流着下來的雨！

(一註)伊自我二歲就養我，到我十六歲伊也死了。

(二註)別人說我二歲到現在(二十一歲)沒有一天不哭。

眷　顧　　　　八十二

自然與人生

徐志摩

風，雨，山嶽的震怒，
猛進，猛進！
顯你們的猖獗，暴烈，威武；
霹靂是你們的酣嗷，
雷震是你們的軍鼓——
萬丈的峯巒在湧洶的戰陣裏
失色，動搖，顛播；
猛進，猛進！
這黑沈沈的下界，是你們的俘虜！

壯觀彷彿是跳出了人生的關塞，
憑着智慧的明輝，迴看
這偉大的悲慘的趣劇，在時空
無際的舞台上，更番的演着：——
我駐足在岱嶽的頂巔，
在陽光朗照着的頂巔俯看山腰裏
蜂起的雲潮斂着，疊着，漸緩的
淹沒了眼下的青巒與幽壑：
霎時的開始了，駭人的工作。

風，雨，雷霆，山嶽的震怒——

　猛進，猛進！
矯捷的，猛烈的；吼着，打擊着，咆哮着；
烈情的火焰，在層雲中狂竄：
戀愛，嫉妒，咒詛，嘲諷，報復，犧牲，煩悶，
　瘋犬似的跳着，追着，嘷着，咬着，
毒蟒似的絞着，翻着，掃着，舐着——
　　猛進，猛進！
狂風，暴雨，電閃，雷霆：
　烈情與人生！
靜了，靜了——

不見了晦盲的雲羅與霧錮，
祇有輕紗似的浮漚，在透明的晴空，
冉冉的飛昇，冉冉的翳隱，
像是白羽的安琪，捷報天庭。
　靜了，靜了——
眼前消失了戰陣的幻景，
回復了幽谷與岡巒與森林，
青葱，凝靜，芳馨，像一個浴罷的處女，
惝怳的無言，默默的自憐。

變幻的自然，變幻的人生，

眷顧

瞬息的轉變，暴烈與和平，
劇心的慘劇與怡神的寧靜：——
誰是主，誰是賓，誰幻復誰眞？
莫非是造化兒的詼諧與遊戲，
恣意的反覆着涕淚與歡喜，
厄難與幸運，娛樂他的冷酷的心，
與我在雲外看雷陣，一般的無情？

八十六

失眠

玉薇女士

縱橫的泪珠，
希望牠滴到夢裏。
但是舊迹新思，
不肯教她睡去！

怨也何從，
思也無緒，
只有沈沈的幽懷
迷離！悽楚！

眷　顧

我的心靈飄泊在夜之國裏，
夜之使者向我說：
『一邊兒歌歡酒酣；
一邊兒密語幽戀，
你爲何捧持着你脆弱的心兒，
在崎嶇的道中，
迷茫的愁思裏，
踐着敗葉與荊棘，
向悲哀的網中一步一步的走入？』
忽夢到昔年舊迹，

八十八

熱淚溼遍了衾邊，
醒後的悽咽，
更不如不眠！

眷顧　　　　　　　　九十

思親

玉薇女士

聽一陣桐葉的戰慄，
我心念着我久病綿綴的老父！
但欲歸無從，
拾起一片桐葉，
且收在我的淚泉裏。

我獨立在夕陽影裏：
凝望着白雲深處，
望不見渺渺的故鄉；
也不知病人的消息，

但我的熱淚，
已被秋雁帶去！

夜行

玉薇女士

影兒隨着我，
月兒伴着我，
沈默着向C 地走去。
樹影交橫迷却了歸路，
我在秋草的地上，
只有徘徊，
只有踟躕，
總不忍踐踏着牠過去。

沈醉

玉薇女士

如酒醉般的狂熱，
在每一個人的笑容上；
在每一個人的歌聲裏；
在每一個人輕跳的足趾。
彷彿是任管秋風如何的吹殘
他們的青春之花只爛熳的開去。

今夜的車行堪稱幸福，
滿載着歌聲歸去，
掠過了睡後的遠山，

眷顧

穿過了枯疏的柳隄，
漸走到燈火閃搖的茅屋。
高歌的人們呀，
不要擾亂他們香甜的夢呵！

九十四

秋晨

燕志儁

凝結的白煙霧，
靜攏住那林頂，
冷雨撲打枯枝，
寒鴉在上邊歪翅。

寒風掃下枯葉，
飄向我窗櫺撲撞，
宛如悲悽的哭聲，
傳滿這寂寞的林院，

眷　顧

隔窗望着黃葉的飛落。
禿枝拂蕩着冷風雨，
隨着雨點飄零的碎落下，
我寂寞的心搖撼着一同飄零。

秋晚

燕志儁

當我傍徨於黃昏的秋林；
那零落的枯葉靜對着我的孤寂，
星光照耀着幽深的路途
煙霧朦朧的覆蓋着秋蟲的聲訴，
我凝視着昏光中，沉默的秋日蕭索的面龐。

秋

朱　湘

不必三棱鏡的春天；
倒是綠中帶黃的秋，
在明的，陰而不暗的天下，
低昂於蕭灑的涼風中，
將飄然的情思引起來了。

雨

朱湘

我所心愛的雨景也多着哪：
夜半夢回時忽聞的淅瀝；
涼的，如輕紗拂面的毛雨；
夏天急雨後的黃金日落；
以至充滿了「不可測」的雷雨；
——但欲雨時的陰天我最愛了：
牠清如五柳先生的詩，
牠是一塊涼潤的灰壁，
並且從寥廓的雲氣中，
不知是那里時飄下一聲烏啼。

雨　臥浸會操場墳旁

臥浸會操場墳旁

王任叔

我旁着墳墓舒展四肢，
仰臥在綠絨似的草地之上；
習習的温風踏過田間，
偷偷地來吻我的衣裳。

明鏡似的天體高張，
温軟的白雲在下面飛翔。
宛同蔚碧的靜止的大海
水上走着無數綿羊。

我願這幾朶白羊似的雲兒喲，
覆壓在我身上，成爲墓土
我願這蔚碧的天海喲，
噓成了青青墓草無數！

東山小曲

徐志摩

一

早上——太陽在山坡上笑，
　太陽在山坡上叫：「——
看羊的，你來吧，
　這里有新嫩的草，鮮甜的料，
好把你的老山羊，小山羊，喂個滾飽；
小孩們你們也來吧
這里有大樹，有石洞，有蚱蜢，有好鳥，
快來捉一會迷藏，豁一陣虎跳，

二

中上——太陽在山腰裏笑
　太陽在山拗裏叫：——
遊山的你們來吧，
　這里來望望天望望田消消遣，
忘記你的心事，去掉你的煩惱；
叫化子們你們也來吧，
這里來假火熱的太陽勝如一件棉襖，
還有香客的布施，豈不是妙豈不是好。

三

晚上——太陽已經躲好，
　太陽已經去了：——

眷顧

野鬼們你們來吧！
黑巍巍的星光，照着冷清清的廟，
樹林裏有隻貓頭鷹，半天裏有隻九頭鳥；
來吧，來吧，一齊來吧！
撞開你的頂頭板，唱起你的追魂調——
那邊來了個和尙，快去耍他一個靈魂出竅。

一月，二十日。

眷迴

嚴敦易

當小聲在修陳的竹叢間漾起的時候，
人已經是杳然去了。
幃幙深深的掩着；
只桌上橫擱了一管玉簫，
悠沉地像倘在吐挽他的餘音淸嫋——

總，
總是還不回來的！
一兩片落葉提搖着想躲進窗來，
霏細的雨珠兒正連綿地撤下，
會因此愈益漠然麽？

眷　顧

殘燈猶明，
茶卻冷了罷。

二，三，

一百六

炸裂

許傑

靜夜的月，垂着鈎鈎，鈎我心中的寂寞和煩悶。

究竟呀！——不一會，——兩個可憐的魚就被她引到水面了。

當牠們在水面親吻的時候，我的心頭的水，就漾了一個圓圓的紅暈；我眼見得這個暈一圈一圈的大了，——大了，——
——人間的心，——渺渺的人間的心，——宇宙的心呵！幽微的宇宙的心，——漾的遠了，——遠了，——漾的微了，微了，——
完了，完了呵！

可憐的，我的小小的心呵？宇宙中只有這一剎那的蕩漾嗎？

我將把我的心頭之水面打破來，看牠映着的是她的夕陽初下時之彩霞般的兩頰呢？還是人類的慘霧迷蒙悲哀叫絕的愁容？

我心頭的小小魚，寂寞和煩悶的魚！你出來到水面游嬉一回吧？你爽性吐幾口泡沫，使牠化做地球大的氣球，裝滿我們從內心吐出來的解除寂寞和煩悶的炸藥，任牠漂流到無盡的宇宙盡處，終於在那邊如炸彈般的火山般的爆裂了！

那時的人間的心，倘還是如水的密接着我的小小的炸裂呵！你將做了水面的魚唇之吻了！

六月，二十日，改作，上海。

晚晴

劉燧元

雖還是滯着溼雲，驚着析析的涼風，病後的黃昏却也靦然輕笑，在斜陽灰白而忸怩的龐兒裏。

深湖水色的天涯上，偎薄淺紅的紙鳶翩翩的低舞。

雀兒悠悠的從竹樹飛上柳枝，啄牠帶溼的羽毛。

簷邊的秋海棠勻着嫩翠，拖得低低；不惜她圓潔的晶球一顆一顆地瀉下——可是粉紅的珠串已不知何時散去。

葉邊鑲着黯金色的荷花——看呀——在連夜的噩夢裏已悄悄地彎着蓮房了！

——二三，八，一。——

The Short Stories Magazine Series
"Death" and Other Poems
The Commercial Press, Limited

中華民國十四年四月初版

▣（小說月報叢刊）眷顧（一冊）
（每冊定價大洋壹角）
（外埠酌加運費匯費）

編輯者　小說月報社
發行者　商務印書館
印刷所　上海北河南路北首寶山路　商務印書館
總發行所　上海棋盤街中市　商務印書館
分售處　北京天津保定奉天吉林龍江濟南太原開封西安南京杭州蘭谿安慶蕪湖南昌漢口長沙常德衡州成都重慶廈門福州廣州潮州香港梧州雲南貴陽張家口新嘉坡　商務印書分館

八七〇七分